FENG SHUI
SIMPLE

Gina Lazenby

la margelle

sommaire

Édition originale de cet ouvrage publiée
en 1999 en Grande-Bretagne,
sous le titre *Simple Feng Shui*, par
Conran Octopus Limited
un département d'Octopus Publishing Group
2-4 Heron Quays
Londres E14 4JP

Direction éditoriale : Kate Bell
Responsable éditoriale : Sarah Sears
Assistante éditoriale : Alexandra Kent
Direction artistique : Mary Staples
Iconographie : Jessica Walton, Mel Watson
Production : Oliver Jeffreys

© 2000, ML Éditions pour l'édition française
Traduction de l'anglais : Ann Sautier-Greening
et Béatrice de Brimont
Réalisation et coordination éditoriale : Belle Page
PAO : Buroscope, Cesson-Sévigné
Imprimé en Chine
ISBN 2-7434-1546-0

QU'EST-CE QUE LE FENG SHUI ?

La façon la plus simple de comprendre le feng shui est de le considérer comme notre réaction intuitive à un environnement donné. Nous savons tous ce qui se passe lorsque nous décidons de déménager et visitons d'autres maisons ou appartements. Certains ont de « mauvaises vibrations », tandis que d'autres nous semblent plus accueillants et confortables et nous attirent. Comment un bâtiment ou un décor peuvent-ils produire un tel effet ? La conjonction de certaines caractéristiques architecturales, de notions traditionnelles relatives à la destination des pièces, ainsi que des formules à la mode en termes de décoration intérieure, notamment les couleurs, les textures, la lumière, les motifs, et le son, confère un certain dynamisme à notre cadre de vie. Ceci est peut-être plus facile à comprendre si nous admettons l'idée que notre environnement est constitué – comme l'a démontré la physique quantique – d'énergie : l'univers n'est qu'une somme d'énergies qui vibrent à des fréquences différentes, certaines visibles, d'autres non. L'énergie, ou qi, se déplace dans notre maison tel un souffle invisible : l'étude du feng shui va nous permettre de vérifier que cette énergie est de qualité uniformément optimale et qu'elle peut se déplacer à un rythme soutenu.

Au plus profond de nous-mêmes, nous savons ce qui convient à nos besoins personnels. Si nous nous décontractions et donnions libre cours à notre intuition, nous pourrions probablement effectuer des choix beaucoup plus sains pour notre intérieur. Intuitivement, nous connaissons exactement le meilleur endroit pour nous asseoir ou pour manger, la meilleure façon d'aménager notre intérieur et les couleurs

susceptibles de nous détendre ainsi que les formes qui pourraient nous aider à être attentifs et concen-

trés. Or, quelque chose dans la nature artificielle de notre environnement et dans le rythme accéléré de

notre mode de vie nous sépare de cette petite voix de sagesse intérieure. Nous avons oublié ce que nous

savons déjà. Ce petit livre devrait nous aider à retrouver cette voix.

De nos jours, nous avons de plus en plus tendance à considérer notre maison comme un refuge

et une oasis de calme, mais aussi comme un rempart permettant de nous isoler d'un monde de plus en plus

Des sièges longs et bas garnis de gros coussins créent un antidote apaisant à la froideur du sol. Les grandes fenêtres laissent entrer à flots la lumière et la chaleur, mais les tons de bleu et de lavande maintiennent une certaine fraîcheur dans la pièce. Murs clairs, matériaux naturels et lignes droites s'associent pour créer une oasis de calme.

agressif. Nous sommes également curieux de savoir de quelle façon les générations précédentes, ou d'autres cultures traditionnelles, ont organisé leur vie. Nous avons beaucoup à apprendre de la sagesse ancienne, d'où le succès actuel du feng shui, qui s'est développé au cours des siècles en Extrême-Orient.

Il semblerait que l'antidote à un monde complexe et stressant soit de mener une vie plus simple. Le feng shui peut vous aider à y parvenir. Il n'est nullement besoin d'adopter un décor oriental sous prétexte que le feng shui est né en Chine : il suffit de mettre en pratique quelques principes simples et universels.

Ce que vous devez d'abord faire, c'est vous assurer que l'énergie invisible ou qi peut se déplacer librement et sans obstacle dans votre maison. Car, si quelque chose vient entraver la fluidité de cette circulation, cet obstacle s'insinuera également entre vous et une vie sans stress : des choses inutiles… du désordre… des obstacles. Le nouveau mantra devrait être : « Débarrassez-vous de ce dont vous n'avez pas besoin et gardez ce que vous aimez. » En jetant des choses inutiles, vous créerez de l'espace et améliorerez ainsi vos chances d'attirer des choses que vous désirez réellement ou dont vous éprouvez le besoin. Utilisez ce livre pour glaner quelques indications simples afin de créer chez vous un environnement qui vous aidera à vous détendre.

LE BAGUA ET VOTRE MAISON

feu
LA LUMIÈRE

vent
LES BIENFAITS

terre
LES RELATIONS

tai-chi
LA SANTÉ

tonnerre
LES ANCIENS

lac
LA CRÉATIVITÉ

LA SAGESSE
montagne

LES AMIS UTILES
ciel

LE VOYAGE
eau

9 4 2 3 5 7 8 1 6

QU'EST-CE QUE LE BAGUA ?

Votre entrée est importante, car elle suggère d'emblée le style propre à votre maison. Elle devrait être bien dégagée ; en outre un bouquet de fleurs dans cette pièce stimulera l'énergie qui entre dans la maison.

Dès l'aube des civilisations, les hommes se sont interrogés sur leur position entre ciel et terre, en même temps que sur la nature de la relation ainsi formée. En étudiant les cycles des saisons et les mouvements des planètes, guidés par leurs observations de la nature, ils sont parvenus à comprendre comment l'aménagement de leurs demeures pouvait affecter leur bien-être et leurs chances de bonheur.

Le feng shui est pratiqué en Orient depuis des millénaires, mais, au fil du temps, il a évolué. À mesure que ceux qui le pratiquaient ont ordonné, selon différents tableaux, grilles et schémas, la façon dont ils comprenaient la nature du monde, différents systèmes ont été élaborés pour expliquer le déplacement de l'énergie. Le bagua est l'une de ces grilles d'énergie qui, associée à la prise en compte de l'importance du symbolisme, vous aidera à travailler intuitivement pour améliorer vos rapports avec votre maison.

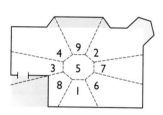

Le schéma supérieur montre un espace négatif dans « 4 Vent », qui pourrait correspondre à un manque d'argent ou d'opportunités, mais qui peut être neutralisé en stimulant la circulation du qi dans cette zone. Le schéma inférieur présente des extensions dans « 2 Terre » et « 9 Feu », ainsi qu'un espace négatif en « 8 Sagesse ». Vous pouvez entreprendre des ajustements afin de dynamiser ces espaces négatifs à l'extérieur comme à l'intérieur de la maison elle-même.

Votre foyer est une autre strate de vous-même, un miroir de votre vie, qui réfléchit ce qui vous arrive à différents niveaux. Un désordre ambiant reflète une façon de penser chaotique, de même qu'une collection de tableaux figurant des personnes isolées peut révéler un manque de relations satisfaisantes. Vous pouvez appliquer les principes du feng shui chez vous pour vous soutenir dans votre quête d'un nouveau mode de vie, car en adoptant une ambiance « feng shui » vous vous donnerez des repères matériels de ce que vous désirez.

La première chose à faire si vous souhaitez changer votre vie, est de décider comment vous envisagez l'avenir. Qui espérez-vous attirer ? Quel nouvel événement, situation ou circonstance souhaitez-vous susciter ? Lorsque, enfin, vous aurez l'impression de savoir clairement ce que vous désirez, vous pourrez alors y consacrer tous vos efforts. C'est à ce stade que vous devriez avertir votre inconscient par un signal quelconque que vous êtes décidé à prendre les choses au sérieux, en apportant une modification, aussi minime soit-elle, à votre environnement domestique.

Le bagua historique, une grille qui décrit comment l'énergie se déplace selon un schéma prévisible à l'intérieur d'un espace donné, vous aidera autant à révéler votre situation actuelle qu'à identifier les ajustements que vous devez y apporter pour l'améliorer. Le bagua (voir page 10) est un modèle souple divisé en neuf zones ou « maisons » que vous allez

uperposer à un plan de votre

errain, de votre maison ou de

otre appartement, voire d'une

ièce ; vous pouvez l'étirer pour

adapter à n'importe quelle forme,

incommode soit-elle.

Chacune des neuf « maisons »

ossède un certain nombre de

aractères spécifiques. Lorsque, par

xemple, l'énergie se déplace de

çon invisible dans la zone du

agua appelée « 2 Terre », elle aura

n certain impact sur les questions liées à vos relations personnelles avec

monde extérieur. De même, si la circulation de l'énergie est perturbée

ans la zone « 4 Vent », la chance ou les finances des occupants de la

aison évolueront vraisemblablement dans un sens défavorable.

Orientez toujours le bagua à partir de la porte principale de votre

aison ou de votre appartement, ou de la porte principale d'une pièce

uelconque. Alignez votre grille étirée de neuf chiffres avec votre plan au

ol de façon que votre porte s'ouvre sur le côté où se trouvent les chiffres

1 et 6. Si la zone en question comporte plus d'une entrée, utilisez

Disposer judicieusement des objets brillants – ceux qui brillent ou qui scintillent au même titre que les miroirs et les verres – renforcera le niveau de l'énergie dans un coin sombre et, en optimisant l'énergie d'une « maison » spécifique du bagua, vous susciterez des changements dans la partie de votre vie qui correspond à cet espace.

l'entrée principale ; si vous n'utilisez que rarement votre porte d'entrée principale et empruntez habituellement une porte secondaire, vous devez quand même orienter le bagua à partir de la porte principale.

Bien que le bagua appliqué au rez-de-chaussée d'un bâtiment soit le plus puissant, chaque étage aura son propre bagua : utilisez la marche la plus élevée comme « porte principale ». Rappelez-vous également que le bagua peut s'appliquer à des pièces individuelles et que les portes peuvent également être des ouvertures sans porte matérialisée. Parfois une pièce sera un « carrefour » comportant trois ou quatre portes : ali-gnez toujours le côté 8, 1, 6 du bagua avec le mur où se trouve la porte la plus fréquemment utilisée.

Votre maison peut être de forme irrégulière, et vous découvrirez probablement qu'elle comporte des « espaces négatifs » ou des « exten-sions ». De façon générale, si une excroissance représente plus de la moitié de la zone dont elle est issue, alors elle créera un espace néga-tif ; si elle est inférieure à la moitié, c'est une extension (voir les schémas, page 12), ce qui signifie que l'énergie dominante de cette zone sera plus forte. Il ne faut pas considérer que les maisons de forme irrégulière sont nécessairement mauvaises ; il faut plutôt considérer que, compte tenu des ajustements que vous pouvez faire dans chacune des neuf « mai-sons », leur potentiel d'innovation est formidable.

ESPACE NÉGATIF

• Ne soyez pas affolé lorsque vous découvrez un « espace négatif » ; bien qu'il puisse engendrer une baisse d'énergie dans une « maison » spécifique du bagua, quelques corrections simples permettront de rétablir l'équilibre, quel que soit le secteur du bagua qui fait défaut.

• Placez un miroir sur le mur à côté de l'espace négatif de façon que, lorsque vous regardez le mur, le miroir donne l'illusion qu'il se passe quelque chose de l'autre côté.

• Un tableau avec une belle profondeur de champ – par exemple une longue route droite bordée d'arbres – captera votre énergie et votre attention.

• Les cristaux amplifient l'énergie apportée par la lumière extérieure et renforceront l'énergie de toute zone du bagua qui pourrait faire défaut ou qui aurait besoin d'être renforcée ; accrochez donc un petit cristal rond facetté à la fenêtre qui jouxte un espace négatif, de manière qu'il inonde la pièce d'arcs-en-ciel colorés dès que le soleil brille.

• Si, du rez-de-chaussée, vous pouvez accéder à l'espace extérieur, mettez le terrain au carré et placez une lumière dans l'angle qui aurait été celui du bâtiment. Faire entrer des plantes et des ornements de jardin dans cette enceinte renforcera encore l'énergie.

eau
LE VOYAGE

La première « maison » du bagua est l'Eau. Elle représente non seulement le poste que vous occupez à présent et votre carrière, mais également votre voyage à travers la vie. Beaucoup de gens se posent la question « Pourquoi suis-je ici ? » « Tout cela, pour quoi faire ? » Si vous ne faites pas ce que vous auriez voulu faire, et si vous n'êtes pas satisfait de votre vie, examinez soigneusement cette partie de votre maison. Le secteur comprend votre porte d'entrée ou la zone immédiatement adjacente. Si votre demeure n'en comporte pas, il est probable que vous éprouviez des difficultés à trouver votre voie, ou à trouver un travail ; en revanche, une projection dans cette zone générerait un supplément d'énergie qui pourrait vous aider à découvrir ce que vous voulez vraiment faire et votre carrière y gagnerait certainement. L'entrée doit être dépouillée : des obstacles à cet endroit retarderont votre cheminement dans la vie.

- Associée au nord, à la saison de l'hiver et à l'heure de minuit, l'Eau est fortifiée par les couleurs bleue et noire, ainsi que par toute image de l'eau elle-même.

- Renforcez l'énergie en introduisant l'élément aquatique sous la forme d'un aquarium ou de représentations d'eaux vives, de lignes sinueuses. Évitez l'eau stagnante qui conduit à l'immobilisme.

- Choisissez soigneusement vos tableaux : ils devront représenter ce que vous souhaitez faire et, si vous ne le savez pas encore, préférez des tableaux figurant des routes ou des itinéraires, ou encore des cartes historiques : des symboles qui vous aideront à trouver votre voie.

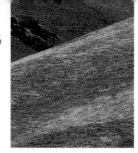

terre
LES RELATIONS 2

La « maison » Terre concerne la réceptivité et la générosité qui sont favorisées par des choses douces et des formes basses. Ici, l'énergie se manifeste dans le monde tangible par les relations personnelles ; on l'appelle souvent le coin du mariage. Une femme pourrait connaître des difficultés à vivre dans une maison où ce secteur ferait défaut, car le déficit en énergie se situerait alors dans la région la plus féminine de la maison. Mais il est également vraisemblable qu'un couple pourrait rencontrer des problèmes, de même que son absence pourrait expliquer un célibat durable. Pour préserver l'harmonie, vous devez vous assurer qu'aucune des zones « relations » de votre maison n'est située dans un espace négatif et qu'elles sont toutes aussi dépouillées que possible : la chambre, où vous êtes le plus proche de vous-même et de votre partenaire, est à cet égard l'endroit le plus critique.

- Ici, l'orientation est sud-ouest, l'époque la fin de l'été et l'heure la fin de l'après-midi.

- Améliorez un espace négatif ou réactivez une relation en introduisant un miroir, des récipients en céramique, des coussins moelleux, un éclairage aux chandelles, des tons jaunes et marron avec une touche de rouge pour la passion.

- Gardez ce coin confortable et douillet. Introduisez la nature dans votre environnement avec des fleurs, des plantes et de l'eau, mais évitez des symboles aussi austères que les cactées.

- Remplacez les images de figures isolées par des tableaux de couples heureux, de deux cygnes ou de fleurs : des images de concorde et d'harmonie.

tonnerre
LES ANCIENS
3

La troisième « maison » du bagua est associée à la famille, à nos anciens. Elle représente tout notre passé. C'est donc l'endroit idéal pour exprimer notre gratitude à notre famille, car aucune parole n'est nécessaire. C'est également le secteur qui influencera notre aptitude à démarrer des projets. Elle est synonyme de vitalité et de mouvement, elle symbolise de nouveaux départs. Si vous ne parvenez pas à résoudre certaines brouilles familiales, cela peut, dans une certaine mesure, vous empêcher de bâtir l'avenir que vous souhaitez ; vous aurez donc besoin de travailler ce secteur si vous voulez stimuler une guérison douce. Une projection dans cette zone apportera une grande sensation de maturité dans votre foyer ; au contraire, si cette section fait défaut, les occupants de la maison manqueront d'énergie et de résistance et pourront même voir surgir des problèmes familiaux.

- Le tonnerre est associé à l'est, au printemps et au lever du soleil.

- Si cette zone manque, installez un miroir sur un mur intérieur pour donner une illusion d'espace et introduisez un peu de vert.

- Des œuvres d'art au mouvement ascendant, des images de contrées boisées, des objets de haute dimension, tels des colonnes ou des meubles hauts, sont de bons symboles ; ils vous aideront à stimuler une nouvelle entreprise et l'harmonie familiale.

- Des photographies familiales heureuses – vos parents et grands-parents –, à côté de souvenirs auxquels vous tenez beaucoup, seront idéales.

- Conserver des objets inutiles du passé peut symboliser une incapacité ou une réticence à aller de l'avant.

- L'orientation associée au Vent est le nord-ouest et la saison la fin du printemps.

- Un cristal taillé accroché à une fenêtre améliorera l'énergie du bonheur dans cette zone, ainsi que ventilateurs, mobiles ou sculptures en mouvement, en stimulant l'énergie du Vent.

- Procédez à des ajustements en rapport avec l'énergie du bois : des plantes, les couleurs verte et bleue. Puisque le bois aime être abreuvé d'eau, c'est aussi l'endroit idéal pour installer une fontaine intérieure ou un aquarium.

- Si un espace négatif de ce secteur est occupé par une partie de votre jardin, investissez dans un éclairage extérieur, un bain pour les oiseaux et de jolies plantations ; ils généreront toujours de l'énergie positive et stimuleront l'espace, même de l'extérieur.

vent 4
LES BIENFAITS

Le Vent est en rapport avec le bonheur. Son image est celle d'un arbre souple qui plie sous le vent. Elle représente la croissance, la maturation et les idées qui vous sont apportées comme des graines par les vents du changement. Bien que son énergie se manifeste dans le monde sous forme d'argent, ce qui explique que cette zone soit souvent considérée comme le « coin de la prospérité », nombreux sont les bienfaits de la vie qui, en réalité, vous parviendront sous une forme autre que celle de l'argent : des opportunités, des invitations, vos enfants, vos amis. Lorsque cette zone fait défaut dans une maison, les risques de subir un malheur ou un accident sont accrus. Si la maison présente une projection ici, le ménage prospérera et tous les projets des occupants tendront à réussir.

tai-chi 5
LA SANTÉ

Le chiffre cinq, placé au centre du bagua, représente une unification de toutes les forces. C'est le point de rencontre de toutes les énergies, c'est pourquoi le Tai-Chi est une zone importante de stabilité et d'équilibre. Tout ce qui se passe ici affectera la stabilité de votre vie : famille, santé, relations et tous vos projets, cette zone réunissant en effet des aspects de toutes les autres zones. Dans les civilisations anciennes, on laissait souvent une cour ouverte au centre de la maison. Si une telle zone n'existe pas chez vous, gardez néanmoins le centre de votre maison bien dégagé de façon à encourager la libre circulation de l'énergie. Maintenez vide le centre de chaque pièce, en particulier celui de la salle de séjour, qui est le lieu privilégié des rencontres sociales, le lieu où les gens ont tendance à se retrouver.

• Bien que ne correspondant pas à une orientation cardinale, le Tai-Chi est fortement associé à l'énergie terrestre en « 2 Terre » et « 8 Montagne ».

• On ne peut réellement connaître bien-être et vitalité que si tout est en équilibre, et comme cette zone est très importante pour votre santé, il est essentiel de la maintenir propre, bien rangée et sans encombrement superflu.

• Renforcez le lien avec la Terre en créant un espace harmonieux à l'aide de céramiques, de tout ce qui est doux et réceptif, ou de récipients vides. Ceci vous incitera à rester concentré et lucide et par là même à affirmer votre vie.

Le Ciel représente la force créatrice de l'univers et la source de toute chose. Il est associé au père, à l'autorité, à la force et au commandement ; il affecte votre aptitude tant à mener à bien des projets qu'à susciter des récompenses matérielles, notamment pécuniaires. Cette zone est également appelée « Amis utiles » ; elle représente l'ensemble de votre patrimoine, visible et invisible, ainsi que votre esprit de philanthropie et d'altruisme. Un espace négatif ici peut signifier que vous manquez de soutiens amicaux et que vous éprouvez des difficultés à l'égard de l'autorité ou de vos supérieurs hiérarchiques masculins dans votre travail ; de leur côté, les hommes pourront se sentir affaiblis. En revanche, une projection dans cette zone assurera un ménage sociable, mais les femmes pourront s'y sentir moins à l'aise.

- Associé à l'orientation nord-ouest, à la fin de l'automne et aux couleurs blanche et argent, le Ciel peut être représenté par des bijoux, des pierres précieuses, des cristaux, des symboles d'autorité, des légendes et des mythes.

- Stimulez cette zone avec des formes courbes et des bols en métal.

- Si vous rêvez d'une vie sociale plus active, c'est l'endroit idéal pour ranger votre carnet d'adresses ; et si vous ressentez le besoin d'être aidé, des images d'anges placées ici seront les bienvenues.

- Si votre garage occupe cette zone, vous devrez en neutraliser les effets négatifs avec des plantes et de l'éclairage.

- Devenez une personne serviable – faites du bénévolat ou des dons – vous stimulerez en même temps l'énergie dans votre maison.

lac 7
LA CRÉATIVITÉ

La nature du Lac ressemble à la plus jeune fille d'une famille : un esprit libre, plein d'espérance et de joie. Il représente vos sens, le goût pour les arts, et le plaisir. Cette zone se rapporte à votre imagination et à votre capacité de créer, dans tous les domaines, qu'il s'agisse de tâches ménagères quotidiennes, de poésie ou de porter un enfant : l'acte ultime de la création. Si une projection existe dans cette partie de votre maison, elle abrite vraisemblablement un ménage sociable qui aide les choses à avancer ; si ce secteur fait défaut, le plaisir manquera aussi, la créativité (donc la fécondité) posera un problème. Si l'espace est simplement trop encombré, la créativité pourra être étouffée, de même que notre potentiel de réflexion est freiné par un esprit surchargé.

- L'énergie du Lac est synonyme des couchers de soleil à l'ouest en fin d'après-midi, de l'automne, de la lueur dorée du ciel, du romantisme et des moissons, lorsque toute chose est parvenue à maturité.

- Tout ce qui vous donne du plaisir – depuis les photographies et les bibelots jusqu'à vos jeux et vos biens préférés – porte l'empreinte du Lac et trouvera sa place dans cette zone.

- Associé au métal, le Lac est stimulé par les couleurs blanche et or, le métal, des images de lacs et des symboles de ce que vous souhaitez créer ou de ce qui vous inspire.

- Si la zone du Lac est trop encombrée, elle reflétera un esprit surchargé. Éliminez les idées reçues et le désordre de votre maison afin d'y laisser se développer une énergie créatrice.

montagne 8
LA SAGESSE

La Montagne se rapporte à la contemplation et à l'introspection et, comme la grotte au cœur de la montagne, vous devez être vide pour être réceptif à la sagesse plutôt que d'être simplement rempli de connaissances. Elle présente des qualités de pesanteur, de solidité, de calme et d'inertie, qui traduisent non seulement une volonté puissante, de nouveaux départs, le fait d'être opiniâtre et de faire des efforts pour atteindre un but, mais également la lutte pour réussir. Le calme intérieur de la Montagne peut également avoir une influence dans vos rapports avec les autres. Si ce coin est absent de votre maison, vous aurez du mal à vous y sentir paisible et en sécurité ; il est difficile de concevoir un nouveau départ sur une base instable. Il faut toutefois éviter une projection dans cette zone qui a besoin de symétrie.

- L'orientation est le nord-est, l'heure le moment qui précède l'aube et la saison l'époque qui précède le printemps.

- Des récipients tels des vases, et des meubles lourds : coffres, armoires…, reflètent la nature de la Montagne.

- Choisissez une zone de Montagne quelque part dans votre maison pour installer un coin réservé à la contemplation et à la méditation ; une chambre située dans cette partie de la maison vous procurera une agréable sensation de sérénité.

- Renforcez votre ego en peuplant la Montagne de symboles de l'énergie du feu : du rouge, des triangles et de la lumière.

- Neutralisez une projection en Montagne avec des objets métalliques, des couleurs blanches et des courbes.

feu 9
LA LUMIÈRE

Par nature, le Feu est lié à la clarté, à la vision, à la visibilité et à l'œil, ainsi qu'à la compréhension et au savoir ; il se rapporte au moi et à autrui. Sa nature s'exprime par la lumière, les bougies, et tout ce qui naît de l'inspiration ou qui risque de vous inspirer : par exemple, la sculpture, la poésie, les cérémonies et les rituels, l'art des grands maîtres, la musique classique, les trésors et les objets sacrés. Si cette zone fait défaut dans votre maison, la vue pourrait représenter un problème physique, parallèlement à des problèmes de vision et de clarté intellectuelles, mais aussi des difficultés à se faire bien connaître. Une projection y sera bénéfique en termes de renommée et de reconnaissance, mais, étant donné la nature explosive et imprévisible du Feu, cela pourrait se transformer en une triste notoriété : de sombres secrets pourraient être révélés.

- L'orientation est le sud, les formes symboliques ressemblent à des flammes ou à des triangles, et la couleur est le rouge.

- L'énergie du Feu rayonne dans toutes les directions et ressemble au pic de l'activité solaire à midi en plein été.

- Si vous ne vous sentez pas inspiré, le Feu manque peut-être autour de vous. Stimulez un espace négatif dans cette zone avec des œuvres d'art, un miroir sur le mur, des lumières, des couleurs et des formes ressemblant à des flammes.

- La lumière vous permet de trouver votre voie ; vous pourrez être amené à introduire de l'éclairage supplémentaire si vous recherchez la clarté.

FENG SHUI PRATIQUE

ENTRÉE

L'entrée, trop souvent négligée, est en fait très importante, car elle trahit notre façon d'aborder la société. Présentant au monde extérieur des messages forts nous concernant, et faisant le lien entre celui-ci et notre maison, elle devrait être accueillante et dépouillée afin de faciliter la circulation de l'énergie, des personnes, de la chance et des ressources dans notre vie.

Assurez-vous que vous avez installé un bon éclairage à l'extérieur, vérifiez que votre sonnette fonctionne correctement et que la porte s'ouvre facilement et complètement. Si vous ne remplacez pas immédiatement les ampoules défectueuses, vous pourrez commencer à douter de votre sens de l'orientation, de même si vous devez pousser une porte gauchie ou qui accroche le tapis, le chemin de votre propre vie n'est peut-être pas sans aspérité. Toutefois, réparer une sonnette cassée peut suffire à susciter une proposition de travail ou une vie sociale plus active.

De même, l'entrée devrait toujours donner une sensation d'ouverture et de réceptivité, car ce que voient les gens dès qu'ils franchissent la porte principale de votre demeure exercera une influence sur leur perception de la maison dans son ensemble. Donc, si votre entrée est petite et étroite, ou si elle donne directement sur un mur, il est important que cette zone soit lumineuse et dégagée.

◀ *Les entrées permettent au qi, ou énergie, de pénétrer dans la maison. Par conséquent, rendez votre porte bien visible, surtout si on ne peut la voir de la rue ou si elle se trouve sur le côté de la maison. Assurez-vous qu'elle est clairement indiquée et bien éclairée. Des plantations symétriques, des gardiens de porte décoratifs ou des statues sont ce qu'il y a de mieux, car ils allégeront l'esprit des gens qui franchiront votre seuil ; un paillasson fera tout aussi bien l'affaire.*

▶ *Le son d'un carillon à vent vous aidera à établir la frontière entre l'intérieur et l'extérieur, et ralentira la circulation du qi. Il est important de choisir avec soin votre modèle de carillon ; la façon dont son timbre résonne avec votre propre énergie est infiniment plus importante que son aspect.*

◄ L'entrée est un espace de transition qui devrait être dépouillé de tout objet distrayant afin de rendre le passage du monde extérieur au monde intérieur aussi facile que possible.

▶ Les escaliers sont importants, car ils favorisent la circulation du qi dans l'ensemble de la maison. La courbe harmonieuse de cet escalier favorise cette circulation et fait grande impression. Comme elle s'envole vers le haut, nous ne voyons pas où elle s'arrêtera, ce qui est complètement symbolique de notre avenir ; nous pouvons en connaître la direction générale, mais nous ne pouvons savoir avec certitude ce qu'il sera.

conseils pratiques

• Créez dès l'entrée l'ambiance désirée dans le reste de votre maison. Miroirs, éclairage, œuvres d'art et fleurs lui conféreront une énergie accueillante et claire, un reflet de votre hospitalité.

• Des accessoires de porte brillants attireront plus de qi dans la maison et vous protégeront même si une rue conduit directement chez vous.

• Le qi doit être ralenti dans les entrées et couloirs. Si la perspective de la maison est tout ouverte depuis la porte principale, interrompez-la avec un carillon à vent, des bacs à plantes arrondis ou des œuvres d'art et des étagères en demi-lune.

• Si plusieurs portes ouvrent sur l'entrée, ne garder ouverte que celle qui conduit à la zone d'accueil principale : vraisemblablement la salle de séjour.

• Prévenez la fuite du qi de la maison : des marches courbes, un miroir ou un objet brillant derrière la porte d'entrée renverront l'énergie vers l'intérieur.

• Ôtez vos chaussures dans l'entrée, pour laisser l'énergie du monde extérieur à l'écart de votre nid.

Pour obtenir une circulation optimale de l'énergie, il est essentiel de maintenir l'entrée et les couloirs bien nets, libres de tout encombrement ; vous devez éviter d'accabler vos visiteurs par un décor trop surchargé ou d'accrocher au mur des œuvres d'art compliquées. Ici, le très beau mur courbe permet à l'énergie de circuler avec fluidité. La plante placée sur la petite table ronde rend accueillante cette zone potentiellement austère.

Vous ne pourrez choisir comment vous allez mourir. Ni quand.
Vous ne pouvez que décider comment vous allez vivre. Maintenant.

JOAN BAEZ

SALLE DE SÉJOUR

Aujourd'hui, les salles de séjour sont devenues des pièces à fonctions multiples : elles sont la partie la plus publique de la maison, c'est là que nous recevons nos visiteurs, mais c'est aussi un espace privé où nous pouvons nous installer et nous détendre, pour regarder la télévision, discuter ou lire. Il est fondamental que cet espace puisse s'adapter à ces deux types d'utilisation ; il doit être accueillant et confortable. Essayez de dissimuler votre téléviseur, sinon il attirera votre attention et sera trop souvent allumé.

Si votre canapé est placé au centre d'une pièce et que vous tournez le dos à la porte sans pouvoir voir les personnes qui entrent, il faudra créer une structure d'appui derrière vous. Ici, la table offre sa protection aux gens assis dans le canapé tourné vers l'intérieur de la pièce.

La salle de séjour est l'endroit où vous devriez déployer vos collections d'œuvres d'art et vos antiquités les plus précieuses, mais sachez que tout ce que vous aurez choisi donnera à vos visiteurs des indications sur votre personnalité et vos aspirations. Assurez-vous aussi que vous choisissez bien, que vous aimez réellement les objets que vous y disposez, car vous allez les regarder tous les jours.

Installez vos meubles de façon à permettre à l'énergie de circuler facilement autour de la pièce ; évitez d'y mettre trop de tables et fuyez le désordre. Il s'agit de la pièce principale où l'on se réunit, c'est le pivot de la vie familiale, l'endroit où l'on vit ensemble et où vos amis devraient se sentir totalement à l'aise. C'est dans cette pièce que se concentrera l'énergie avant de se répandre dans le reste de la maison et parmi les membres de la famille.

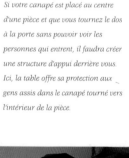

▶ *La lumière est de l'énergie. Vous pouvez très sensiblement modifier l'ambiance d'une pièce en éteignant une lumière centrale trop vive et en allumant de plus petites lampes pour éclairer des coins sombres et créer des îlots de lumière. En introduisant des accessoires lumineux aux bons endroits, vous pouvez également activer des zones spécifiques du bagua. Une lampe est généralement un bon antidote à un espace négatif dans telle ou telle zone du bagua.*

▼ *Des formes différentes ont des énergies différentes qui auront un impact sur une zone : alors que les courbes sont liées à la créativité, les carrés représentent l'organisation et la pensée rationnelle. Essayez d'équilibrer les deux formes dans une même pièce. Plus les formes seront douces et fluides, plus la pièce incitera à la relaxation. Chaque fois que cela est possible, choisissez des meubles aux angles et aux bords arrondis.*

◀ Il est utile de pouvoir moduler la quantité de lumière vive dans une pièce, car les besoins en énergie d'une salle de séjour varient en fonction de ses différents rôles. Ici, la combinaison de stores et de voilages apporte la flexibilité nécessaire en matière de lumière, tout en habillant élégamment les fenêtres : la cantonnière à franges adoucit un traitement par ailleurs plutôt sec. Si vous n'avez pas de cheminée, disposez les sièges autour d'une table centrale, adoucie et avivée par un gros bouquet de fleurs.

▶ Une cheminée représente en général le pôle d'attraction idéal d'une pièce, et sa chaleur est très accueillante. Placer une glace au-dessus d'une cheminée accentue son importance, tandis que la surface réfléchissante argentée du miroir apporte également un antidote rafraîchissant à la chaleur du feu. Soyez très attentif à ce que reflète le miroir : si votre pièce est encombrée, le miroir accroîtra la confusion et toutes les difficultés que vous pouvez rencontrer seront effectivement doublées.

conseils pratiques

• Accrochez des tableaux figurant des endroits que vous aimeriez visiter un jour, pas seulement des images de ceux que vous avez aimés dans le passé.

• Les fleurs coupées rafraîchissent l'énergie ; au contraire, les fleurs séchées entretiennent la stagnation, elles devraient donc être remplacées à chaque saison.

• Ne surchargez pas la pièce de meubles ; assurez-vous qu'il y a assez d'espace pour permettre aux gens de se réunir.

• Évitez les tables à plateau de verre : on ne peut se détendre vraiment autour d'un bord raide et anguleux.

• Si vous avez un plafond avec des poutres apparentes, ne placez pas un siège directement au-dessous. Une personne qui s'y assiérait régulièrement pourrait commencer à souffrir de maux de tête.

• Ne placez pas les sièges face à un angle aigu ou un recoin : l'énergie peut y être très inconfortable.

• Ne laissez pas le téléviseur dominer la pièce : séparer clairement le point focal de la pièce et le téléviseur.

▼ *Des études ont démontré que la création d'une ambiance est plus importante que le simple aménagement fonctionnel de l'espace. On considère que les séjours sont des pièces qui doivent permettre de se réunir en famille, tout en privilégiant des espaces propices à la conversation ou, au contraire, à la méditation et à la relaxation. La couleur est un outil très puissant qui peut avoir autant d'influence sur la nature d'une pièce que la forme des meubles et leur emplacement. Ici, les tons jaunes ont un effet convivial et apportent de la gaieté à la pièce.*

▶ *Nos maisons sont remplies de symboles qui affectent constamment notre énergie. Les tableaux que nous accrochons aux murs peuvent être une source puissante d'inspiration : une galerie de portraits de famille – photographies ou peintures – renforcera un sentiment de cohésion dans le foyer. Si nous nous fixons sur un objet quelconque, celui-ci attirera de l'énergie et deviendra une sorte de catalyseur, capable d'attirer à lui les événements et les personnes nécessaires pour faire évoluer notre vie. Inversement, vous pourrez découvrir que si vous vous entourez de peintures austères de paysages peuplés de figures isolées, vous pourrez vous sentir vous-même bien seul. De même, accrocher de l'art abstrait sur vos murs lorsque vous rêvez de clarté et d'un pôle d'attraction pourrait bien vous laisser avec l'impression d'être fragmenté et incomplet.*

◀ Les jardins d'hiver ne se prêtent pas toujours à la détente, car une bonne partie de l'énergie s'enfuit par les grandes surfaces vitrées. Ici, de magnifiques plantes maintiennent l'attention à l'intérieur. Dans des pièces plus petites il sera infiniment préférable de placer les plantes sur le rebord de la fenêtre afin de ramener votre centre d'intérêt à l'intérieur de la pièce, sinon votre précieuse énergie sera inutilement dispersée. En outre, des plantes placées près des fenêtres agissent comme une protection naturelle puissante contre le bruit et la pollution de l'air.

▶ Il vaut mieux qu' aucun siège n'ait le dos à la porte, et il est très important de s'assurer que le siège du maître de maison est dans une position dominante : de façon idéale, face à la porte et adossé à un mur. Des groupes de sièges disposés face à un téléviseur laisseront ce dernier dominer la situation, rendant ainsi toute communication difficile, voire impossible. Disposer les sièges autour d'une cheminée ou d'une table basse est infiniment préférable.

Le secret de la vie est l'équilibre, et l'absence d'équilibre est la destruction de la vie.

HAZRAT INAYAT KHAN

CUISINE ET SALLE À MANGER

*Nos niveaux personnels d'énergie
dépendent de notre capacité à absorber les substances nutritives contenues
dans les aliments ; celle-ci sera fortement diminuée si l'environnement de
la cuisine est chaotique et désordonné.
Donc, pour favoriser une circulation
régulière du qi, la cuisine doit être
propre, rangée et bien dégagée, elle
devrait en outre être suffisamment
spacieuse et équipée de rangements.*

Le rôle de la cuisine, comme celui de la salle à manger, est fondamental pour vivre en bonne santé, car la nourriture que nous cuisinons et mangeons génère une nouvelle vie en nous. La cuisine constitue le cœur même de la maison. C'est également la pièce la plus importante du point de vue de notre alimentation – tant physique que spirituelle – aussi est-il essentiel que la personne qui fait la cuisine soit dans une atmosphère calme avec un minimum de perturbation. Toute interruption discordante affecterait l'énergie du chef. Vous devez donc vous assurer que les espaces de préparation des aliments ne sont pas situés dans des zones exposées à la force négative d'un angle ou d'une étagère aiguë.

Évitez que la cuisine serve de passage, pour ne pas être constamment dérangé par l'activité d'autres personnes lorsque vous cuisinez.

L'emplacement de la cuisine dans une maison est lié à la vie familiale. Si la cuisine est située « en dehors » du bâtiment, si elle se projette au-delà de la porte principale comme une extension, alors les occupants auront probablement tendance à prendre leurs repas à l'extérieur. Si au contraire on la voit dès que l'on franchit le seuil de la porte d'entrée, ou si vous pénétrez directement dans la cuisine en entrant dans la maison, alors la nourriture sera votre centre d'intérêt dès que vous arrivez chez vous.

◀ *Idéalement, vous ferez la cuisine et prendrez vos repas dans des pièces distinctes, sinon, assurez-vous, avant de commencer à manger, que votre batterie de cuisine est rangée, que vous ne serez pas distrait par vos travaux culinaires, soit en dissimulant la zone dévolue à la cuisine proprement dite derrière un écran soit en réduisant l'éclairage : des bougies ou une bonne lumière au-dessus de la table plutôt qu'une lumière vive dans la pièce.*

▼ *La cuisine règle le pouls du foyer. Si cette pièce se signale par sa simplicité et son organisation claire, ces qualités se propageront à la préparation des aliments comme aux occupants de la maison. Un rangement rationnel de la batterie de cuisine – particulièrement important dans les cuisines simplement équipées d'étagères – assure non seulement que le calme sera à l'ordre du jour, mais inspirera aussi le chef pour créer les repas. En dépit de la volonté de rangement manifeste dans cette cuisine, il est toujours préférable de dissimuler les gros couteaux.*

◀ *Il vaut mieux manger dans un endroit confortable et dans une atmosphère détendue. Évitez d'être distrait par des tableaux trop excitants aux murs, ou par de l'encombrement et du désordre sur la table. Tout ce que vous pourrez introduire comme objets et matériaux naturels rendra votre espace plus confortable et relaxant et aura une influence positive sur la préparation des aliments et leur consommation. Tables et chaises en bois sont préférables au verre, au métal ou au marbre ; de même les matériaux rustiques ou tissés amélioreront efficacement une pièce d'aspect moderne et trop fonctionnel, en atténuant sa froideur et en la rendant plus conviviale.*

▲ *L'emplacement de la cuisinière peut avoir une forte incidence sur la qualité de votre nourriture. Le chef ne devrait pas tourner le dos à la porte, mais si vous ne pouvez l'éviter, un grille-pain ou une bouilloire en métal brillant placé à côté de la cuisinière – et un carillon à vent près de la porte – le préviendra de l'irruption de quelqu'un dans la cuisine. Évitez de placer la cuisinière sous une fenêtre, car une partie de l'énergie vitale serait absorbée par le verre et le mur extérieur. Idéalement, il faudrait une disposition triangulaire entre la cuisinière, l'évier et le réfrigérateur, et puisque le feu est la technique de cuisson la plus naturelle, préférez le gaz à l'électricité.*

◀ Bien que la mode des cuisines rustiques puisse ne pas plaire à tout le monde, il est bon d'éviter les accessoires brillants et trop de métal dur dans votre cuisine, car ils ont une influence stressante sur la nourriture. Créez si possible un environnement où il est facile de prendre ses repas sans être interrompu, de façon à absorber un maximum des substances nutritives des aliments. Évitez de placer la table dans un lieu de passage, ou qu'elle soit entourée de portes, car cela perturbera votre digestion. Gardez votre table à l'écart de l'énergie coupante, projetée par tous les angles aigus. Ici, les lignes fluides des étagères améliorent nettement la sensation de détente.

▶ Il vaut toujours mieux travailler dans des espaces clairs et aérés, la cuisine doit donc être parfaitement éclairée. En revanche, préférez un éclairage indirect pour les coins repas. Les bougies créent une atmosphère calme nécessaire à une digestion facile. Il est important de choisir les bonnes couleurs. Les couleurs claires rendent ces deux pièces plus apaisantes. Privilégiez les verts, les jaunes et le blanc, mais des tons choisis dans le spectre rouge peuvent être utilisés avec profit dans les salles à manger si vous souhaitez stimuler la conversation.

conseils pratiques

• Utilisez des matériaux naturels partout où cela est possible : les cuisines claires, brillantes, style fast-food, sont stressantes.

• La cuisinière, l'évier et le réfrigérateur devraient former un triangle. Lorsque l'évier se trouve à côté de la cuisinière, placez entre eux une planche à découper en bois afin de maintenir l'équilibre entre les énergies du feu et de l'eau.

• Chaque fois que cela est possible, essayez d'introduire des formes lisses et des courbes plutôt que des angles aigus pour encourager le qi à circuler plus régulièrement dans la pièce.

• Travaillez dans des espaces clairs et ouverts ; mangez dans un cadre paisible, suffisamment éclairé.

• L'absence d'horloge ajoute une note intemporelle et tranquille au coin repas.

• Les tables de salle à manger en bois offrent un bon support et doivent être préférées aux tables en verre aux bords anguleux.

▼ *Considérez l'équilibre des formes dans votre salle à manger : les cercles génèrent des idées créatrices, et une table ronde rassemblera les convives et favorisera la conversation. Une disposition rationnelle des tableaux suscitera des conclusions positives.*

◄ Cet angle de la pièce, bien
à l'écart de toute activité ménagère,
est idéal pour se détendre et
déstresser. N'oubliez pas que
vous pouvez – et devez – utiliser
les tableaux pour renforcer
une atmosphère. Ici, l'un d'eux
affiche un conseil pertinent :
« ralentir. »

S'il y a de la lumière dans l'âme, il y aura de la beauté dans la personne.
S'il y a de la beauté dans la personne, il y aura de l'harmonie dans la maison.

S'il y a de l'harmonie dans la maison, il y aura de l'ordre dans la nation.
S'il y a de l'ordre dans la nation, il y aura de la paix dans le monde.

PROVERBE CHINOIS

LE BUREAU À LA MAISON

Les récents progrès technologiques en matière de communications inter-
nationales et d'informatique permettent de plus en plus de travailler à domi-
cile. Les répercussions de cette révolution sur notre mode de vie sont déjà
là et continueront de poser des problèmes, car si le fait de travailler chez
soi peut donner une réelle impression de liberté, cela remet également en
question le rôle de votre maison en tant que refuge où vous pouvez vous
retirer à la fin de chaque journée de travail. Votre bureau pourrait même
finir par envahir toute votre maison. Vous pouvez toutefois vous créer un
environnement dépourvu de stress en équi-
librant la répartition de l'espace, mais aussi
en érigeant des frontières strictes, de façon
que, bien qu'il vous soit impossible de laisser
le bureau derrière vous, vous puissiez au
moins en fermer la porte pour clore votre
journée de travail.

    Il vaudrait mieux que la pièce dont vous
ferez votre bureau soit située près de la porte
d'entrée principale ; cela favorise une forte
relation avec le monde extérieur et évite que
des visiteurs liés à votre activité professionnelle ne fassent intrusion dans votre espace
privé en traversant des pièces familiales.

*Créer un cadre de travail motivant et
dynamique est plus facile à réussir
lorsque l'on travaille chez soi. Cette
grande pièce, avec son parquet en bois
naturel, une vue sur le jardin et
un vrai laurier en pot, est propice au
travail, présentant de surcroit un
grand espace de rangement. Toutefois,
comme pour assurer que cette
créativité va se transformer en argent,
le bureau rectangulaire est le point
focal de la pièce.*

conseils pratiques

- Un bureau ordonné vous donnera plus de pouvoir. Alors qu'un environnement brouillon obérerait votre aptitude à réfléchir clairement.

- Gardez la pièce fraîche et videz votre poubelle chaque jour.

- Assurez-vous que vous pouvez fermer votre bureau le soir, et faites-le.

- Soyez sûr que tout est en état de fonctionnement ; remédiez immédiatement à toute panne qui pourrait survenir.

- Utilisez le plus possible de matériaux naturels dans un bureau.

- Placez une plante assainissante – poinsettia, *Chlorophylum comosum*, *Crassula argentea* – près des éléments électriques pour contrer les décharges électromagnétiques débilitantes, et ajoutez un ionisateur pour augmenter les ions négatifs.

- Les meubles rectilignes sont préférables pour la prise de décisions et l'activité financière ; courbes, cercles et ovales conviennent mieux à la réflexion créatrice.

◀ *Décider de l'emplacement de votre bureau et de l'aménagement de l'espace est très important, car il permet une circulation facile de l'énergie. Essayez d'avoir derrière vous un mur plein plutôt qu'une fenêtre ou un passage ; faites en sorte d'avoir une vue directe sur la porte, mais sans être assis face à elle, directement dans l'axe de l'énergie qui pénètre dans la pièce. Il est également capital de faire en sorte qu'aucun angle aigu ne pointe directement vers vous.*

▲ *Ici, l'aspect carré et le bon éclairage favoriseront la concentration, mais on y trouve aussi bon nombre de symboles et d'objets susceptibles de stimuler l'imagination. C'est une pièce idéale pour un enfant dont elle soutiendra la réflexion : un superbe environnement éducatif !*

La vie est un voyage, non une destination. Il en va de même de votre maison.

MOREL FOURMAN

SALLE DE BAINS

La salle de bains est un espace intime où nous sommes en communion avec nous-mêmes tard dans la soirée et tôt le matin ; nous devons donc pouvoir nous y sentir à l'aise pour nous relaxer avant de nous coucher ou nous préparer à tout affronter au début d'une nouvelle journée. Une petite salle de bains vous permettra de vous concentrer sur votre corps ; un éclairage vif et de grands miroirs y créeront une illusion d'espace et vous inciteront à vous étirer et à élargir votre horizon.

La salle de bains est destinée à la purification et à la propreté, elle doit donc être propre, aérée, simple, intime et ordonnée, avec une bonne ventilation et un bon éclairage. Toutefois, elle est également source de déchets, elle devrait donc idéalement être aussi éloignée que possible de la cuisine. Quel que soit son emplacement, la salle de bains doit être en bon état de fonctionnement, car la circulation de l'eau, source de vie, est symboliquement liée à notre « tuyauterie » personnelle et au passage de la chance et de la richesse ; des problèmes de plomberie auront une influence directe sur votre santé comme sur votre situation financière.

Cette pièce est l'endroit idéal pour accrocher votre plus grand miroir, donc si vous disposez de suffisamment de place, pensez énorme ; si la pièce est petite, pensez aussi grand que possible. Cela vous encouragera à vous étirer le matin, ce qui accroîtra votre énergie, ralentie pendant votre sommeil, vous apportant ainsi la force nécessaire pour affronter la journée à venir.

conseils pratiques

• Assurez-vous du bon fonctionnement
de la plomberie : ni fuite ni bruit.
Un robinet qui fuit – même très
faiblement – peut être révélateur d'une
érosion de vos finances.

• Votre plomberie interne reflète aussi
la santé de votre salle de bains. Si vous
avez des problèmes physiques, réglez-
les en même temps que vous réparerez
la plomberie de votre maison.

• Évitez triangles, bords anguleux, coins,
matériaux métalliques durs ou froids.
Ils vous communiqueront une sensation
très inconfortable lorsque vous serez
nu et vous vous sentirez vulnérable.
Accrocher des serviettes moelleuses
dans votre salle de bains la rendra
chaleureuse et vous donnera une
impression de confort et de sécurité.

• Si les toilettes sont situées à côté de
la cuisine, accrochez un mobile en
céramique entre les deux pièces pour
équilibrer les différentes énergies.

• Les carreaux en miroir peuvent
provoquer de réels problèmes, car ils
segmentent littéralement votre image.

▼ *L'énergie fuit la salle de bains comme par magnétisme, évitez donc autant que possible de la situer près de la porte principale, où le qi est le plus actif et a le plus de vigueur. Évitez de même la zone « 4 Vent » ou le centre de votre logement, mais si vous ne le pouvez pas, accrochez un petit miroir convexe à l'extérieur de la porte pour empêcher l'énergie d'y entrer et de s'y perdre, placez de hautes plantes autour de la cuvette des toilettes et maintenez-en l'abattant fermé.*

▶ *Nous utilisons les miroirs tous les jours, et le plus souvent dans les salles de bains, aussi est-il très important que l'image qu'ils réfléchissent soit conforme à la réalité. Faites attention à la clarté du verre et assurez-vous que le miroir est placé de façon que vous puissiez vous y voir au maximum sans que votre reflet soit segmenté. Cela pourrait affecter votre santé et augmenter votre perplexité ou votre indécision.*

◀ *Des plantes verticales et hautes, avec leur forte énergie ascendante, contreront l'effet drainant de la tuyauterie sur l'énergie de la pièce. Les fenêtres, utiles à la ventilation, peuvent également vous aider en vous permettant de voir le monde extérieur et en introduisant des éléments du monde naturel ; cet effet positif est renforcé ici par l'image que réfléchit le miroir. Toutefois, des miroirs qui se font face peuvent également engendrer des problèmes si votre réflexion est multipliée à l'infini ; ici l' orchidée a une fonction correctrice en agissant comme un écran pour éviter cet inconvénient. Bien que le store puisse être baissé pour clore l'espace, il est en général préférable d'installer la baignoire à l'écart de la fenêtre.*

▶ *La forme rectiligne du miroir et des murs carrelés est ici équilibrée par des formes rondes : lavabos, lumières, coquillages et boîtes. Les carrés et les rectangles représentent notre besoin d'ordre et d'équilibre. Une combinaison heureuse de carrés et de cercles est une métaphore de l'équilibre entre le Ciel et la Terre. Les grands miroirs agrandissent l'espace dans les salles de bains sans fenêtre ; accrocher en face une photographie, une peinture ou un objet naturel aura un effet analogue.*

Parfois la chose la plus urgente et la plus vitale que vous puissiez faire
est de vous reposer complètement.

ASHLEIGH BRILLIANT

CHAMBRE

Votre chambre est votre sanctuaire, une retraite protectrice où la relaxation profonde et la régénération sont de règle. Les gens sont de plus en plus soumis à une surcharge d'information, en particulier au travail, ce qui entraîne un stress constant et épuisant. À la fin d'une longue journée active, vous avez surtout besoin d'un havre de repos, pour vous détendre et vous apaiser, et non d'un lieu de distraction et d'excitation. L'un des meilleurs cadeaux que vous pourrez jamais vous faire, c'est de vous offrir une chambre à coucher aussi éloignée que possible du bruit et du stress du monde extérieur, un sanctuaire tranquille très dépouillé ; vous n'avez vraiment pas besoin de vous stimuler l'œil ou l'esprit.

Une petite chambre symétrique est idéale, parce que l'énergie y est plus atténuée et apaisante, du moins si tout ce qui est susceptible d'affecter la qualité de votre sommeil a été éliminé. Tous les vêtements que vous avez portés pendant la journée et qui ont ramassé des énergies du monde extérieur devraient idéalement être déposés dans un dressing séparé ou des placards.

Les couleurs blanche et beige de cette pièce la rendent particulièrement fraîche et reposante. Les tons naturels – le blanc cassé des murs et les cadres en bois chaleureux du lit et des tableaux – en atténuent l'austérité. Son ameublement simple apporte un contraste apaisant aux planches de botanique accrochées au mur.

◀ *Si votre chambre vous sert aussi de bureau, il est important de créer une frontière entre votre temps libre et votre travail. Ne gardez pas dans votre champ visuel au moment de vous endormir des livres non lus et des tas de dossiers en cours. Disposez un paravent autour de votre lit de façon à créer une vraie barrière et à « déconnecter » en fin de journée.*

▶ *Faites de votre chambre un sanctuaire de repos. Vous avez besoin pour vous relaxer de lignes et de formes douces et harmonieuses ; tout objet d'art ou d'ornement pointu, angulaire ou perturbant devrait être banni. Utilisez des coussins moelleux, des rideaux volumineux, des fleurs ou des plantes ainsi que vos objets favoris pour apporter une impression de calme. Il est plus facile de faire son refuge dans une petite chambre ; en effet, des dimensions restreintes permettent de créer une atmosphère plus feutrée, et l'empêchent de devenir le centre d'une activité quelconque. Dans une pièce mansardée, ajoutez des têtes de lit hautes et des éclairages ascendants pour équilibrer la pression de l'énergie descendante.*

◀ *Le choix d'une pièce sera déterminé par le confort plutôt que par les dimensions ; idéalement, elle devrait être symétrique, coins et recoins étant réservés aux espaces à vivre, car ils animent une pièce alors qu'une chambre devrait être un sanctuaire. La couleur a autant d'effet sur la nature d'une pièce que sa forme. Le bleu, associé à l'introspection et à la sérénité est donc idéal pour une chambre, quoiqu'il puisse créer une sensation de froideur ; ici, le parquet en bois clair réchauffe la pièce et les fleurs orange ajoutent une touche vibrante au décor par ailleurs plutôt dépouillé.*

▶ *Un plafond à poutres apparentes, détail authentique dans des maisons anciennes, est très préjudiciable à la qualité de votre sommeil. Vous pouvez néanmoins réduire l'influence des poutres par un ciel de lit qui agira comme une couverture protectrice pendant votre sommeil et assurera le déplacement uniforme de l'énergie au-dessus de vous. Autrefois, les gens dormaient dans des lits à cadre de bois qui retenaient ainsi leur énergie ; ici, le banc joue le même rôle, le vert ajoutant ses propriétés équilibrantes pour apaiser l'esprit. Des tapis seraient un apport heureux, car la pierre peut donner une impression de froideur.*

▼ *Un environnement naturel et simple favorise un mode de vie similaire.*
Cette pièce, d'une belle simplicité, où tout est rangé à l'abri des yeux et où
tous les matériaux sont naturels, apporte une impression de sérénité. Malgré
l'absence de formes douces, les lignes horizontales du lit et de la porte équilibrent
parfaitement les lignes verticales de l'armoire et des montants de la porte.
Évitez les portes à miroir qui perturbent fortement la qualité du sommeil.

conseils pratiques

• Rien ne doit déranger votre sommeil.
Miroirs, appareils électriques, couleurs
vibrantes vous interdiraient de vous
relaxer complètement.

• Installez soigneusement votre lit. Offrez-
vous une vue directe sur la porte, et
adossez-le à un mur plutôt qu'à un
espace ouvert ou une fenêtre. Évitez de
dormir directement dans l'axe de la
porte ; vous seriez sur le chemin de tout
l'énergie entrant dans la pièce.

• Si vous tournez le dos à la porte,
accrochez un petit miroir sur le mur
opposé, de façon à vous permettre de
voir qui entre dans la pièce.

• Recouvrez d'un rideau léger pour la nuit
les portes de penderies en miroir,
car ils amplifient l'énergie de la pièce
à un moment où elle devrait s'apaiser.

• Préférez les lits en bois à ceux à
cadre métallique qui amplifient
le rayonnement électromagnétique
des appareils et de l'installation
électriques de la maison.

• Choisissez des fibres naturelles pour vos
draps, couvertures et taies d'oreillers.

◄ *Il n'est pas inutile de signaler que les chambres orientées à l'ouest sont conseillées aux personnes qui éprouvent des difficultés à s'endormir, tandis que celles orientées à l'est aideront ceux qui ont du mal à se réveiller. L'emplacement de votre lit est également capital, car vous y passerez environ un tiers de votre vie. Il vaut mieux le placer la tête adossée à un mur, avec un bon angle de vue sur la porte. Encadrer le lit de tables de chevet recouvertes d'étoffes et suspendre une tapisserie ou une tenture derrière adoucira l'environnement ; les tableaux géométriques ou intellectuellement dérangeants sont à éviter. Cette pièce a une bonne symétrie et un bon appariement ; les petites tables de chevet renforceront positivement les rapports humains.*

Que l'importance soit dans ton regard,
non dans la chose regardée.

ANDRÉ GIDE

CHAMBRE D'ENFANTS

Les chambres d'enfants devraient être simples et accueillantes, peuplées de symboles propres à stimuler l'éveil et l'imagination ; des espaces où il sera possible à l'enfant de développer sa personnalité tout en profitant de l'insouciance de la jeunesse.

Les enfants changent rapidement en grandissant, ils semblent évoluer de mois en mois, il est bien évident que leur environnement devra tenir compte de cette force vive ; vous devrez donc prévoir d'en réorganiser l'ameublement et de redécorer la chambre au moins tous les deux ans.

Il est clair que les enfants réagissent aux couleurs, aux formes et aux images en tant qu'individus ; vous devrez y être attentif, car ils semblent savoir intuitivement ce qui leur convient. Tout en gardant présente à l'esprit une partie des prescriptions et proscriptions de base applicables à l'ensemble de la maison, vous devrez les aider à choisir le décor de leur chambre au lieu de leur imposer vos goûts. De même, si vous pouvez garantir la propreté en mettant à leur disposition des rangements fonctionnels, vous encouragerez vos enfants à garder leur chambre bien rangée. Il est réellement indispensable de permettre aux enfants de personnaliser leur espace. Tout est affaire d'équilibre : donnez-leur la liberté d'être créateurs, mais offrez-leur en prime la sécurité.

▶ *Si un enfant change de position pendant son sommeil, ou s'il déplace physiquement son lit dans une autre partie de sa chambre pendant la nuit, vous devrez réorganiser la disposition des meubles ; s'il ne dort pas bien, vérifiez qu'il n'y a rien sous le lit, ni au-dessus. Ici, par exemple, les voilages devraient être ôtés, sauf s'il s'agit de moustiquaires, afin de permettre à l'énergie de se déplacer librement au-dessus des occupants des lits. Certains enfants pourraient avoir peur de cette peinture murale ; pourtant ces animaux, s'ils sont perçus comme amicaux, seront des gardiens idéaux. Les relations entre les enfants seront améliorées par des lits identiques, mais une table entre les lits forme une frontière utile.*

◀ *Organisez l'espace afin que votre enfant puisse voir de son lit la porte de sa chambre, cela accroîtra son sentiment de sécurité. Même dans une petite pièce, n'hésitez pas à accrocher un rideau pour séparer le lit – espace de repos – de l'espace ludique, plus actif et créateur, afin de minimiser toute déperdition de la force régénératrice du sommeil, et augmenter par là même l'énergie et la vitalité de votre enfant. La verticalité des hauts placards, des étagères et des rayures renforcera positivement la poussée ascendante du développement de l'enfant.*

▶ *Faites attention : dans une chambre d'enfants, censée favoriser à la fois l'activité et le sommeil, le bleu risque d'être trop froid. En particulier si la pièce est orientée vers le nord et si elle ne bénéficie que de peu de lumière, le bleu pourrait rendre un enfant introverti. Ici, la couleur des murs et le tissu qui associe géométrie et animaux ainsi qu'un bleu froid et des tons plus chaleureux sont bénéfiques pour un enfant ayant besoin de stabilité et d'ordre. Les meubles et les jouets, très structurés, révèlent un enfant à l'esprit ordonné.*

◀ *Si vous mettez à la disposition de vos enfants un endroit amusant pour ranger leurs trésors, vous les encouragerez à prendre soin de leurs affaires et à être plus ordonnés. Cette structure vive de tubes rouges et d'étagères jaunes constitue un ensemble idéal : il offre aux enfants un accès facile et un espace ordonné pour ranger livres et jouets. Si vous créez le cadre essentiel, les méthodes suivront naturellement.*

▶ *La créativité est stimulée dans cette aire de jeux par les courbes des tabourets et de la table ; les couleurs primaires vives, amusantes, sont en général idéales pour de tels espaces. Elles pourraient toutefois être trop excitantes pour certains enfants très actifs ; il serait donc préférable qu'il s'agisse d'une salle de jeux distincte, invisible depuis la zone de sommeil. Les images d'animaux, à condition qu'ils soient reconnaissables et amicaux, et en particulier de chiens, renforcent la sécurité apportée par les peluches ou les poupées.*

conseils pratiques

- Vos enfants doivent avoir l'impression d'exercer un certain contrôle sur le décor de leur chambre ; c'est une bonne préparation pour leurs futures prises de décisions.

- Assurez-vous que la pièce a un point focal : un mobile à côté d'une fenêtre, ou un endroit spécial pour exposer récompenses et diplômes. Une pendule est également utile ; sa présence leur donnera la notion du temps.

- Si possible, séparez les enfants d'âges différents afin de leur permettre de prendre confiance en eux. Laissez-leur aussi une certaine intimité afin de les aider à développer leur indépendance et le sentiment de leur propre valeur.

- Placez un interrupteur électrique près du lit pour qu'ils puissent contrôler leur désir de lire au lit.

- Placé à l'écart du lit, un miroir permettant à l'enfant de se voir en pied l'aidera à développer son ego.

- Évitez les lits superposés : l'un des enfants sera trop près du plafond tandis que l'autre se sentira à l'étroit au-dessous.

L'endroit où vous vivez est ce que vous devenez.
Votre maison reflète les défis, les occasions et l'orientation de votre vie.

GINA LAZENBY

◀ Amplifiez l'effet de tout aménagement feng shui – ici une collection d'objets brillants – en disposant chaque objet avec une intention précise. Chaque fois que vous poserez les yeux sur ces objets, ils vous rappelleront votre objectif.

POUR PROGRESSER :
DIX MESURES SIMPLES

1 Les changements proviennent de l'intérieur

Toute transformation opérée dans votre subconscient se répercutera sur votre environnement. Vous ne pourrez obtenir de changements profonds et durables que si vous admettez cela et si vous tenez compte de votre bagua intérieur. Vous n'atteindrez une réelle harmonie dans votre maison que lorsque vous commencerez à concevoir votre vie de l'intérieur vers l'extérieur. "

2 Soyez inspiré par votre maison

Armé de la connaissance du feng shui, vous pouvez faire de votre maison le siège de votre dynamisme. Une fois que vous aurez plei-

nement accepté l'idée que votre environnement n'est pas autre chose qu'un miroir de votre vie, il vous faudra regarder attentivement autour de vous et décider si vous aimez réellement ce que vous voyez. Si vous ne l'aimez pas, changez-le : c'est vraiment aussi simple que cela. En outre, si vous vous entourez d'images en rapport avec vos aspirations profondes, cela vous aidera à les rendre plus réelles et réalisables.

3 Reprenez contact avec la nature

Malgré tous les avantages que nous apporte la vie moderne et technologique, nous avons créé un mode de vie complètement déphasé par rapport à la nature. Bon nombre des problèmes

Souvenez-vous : plus votre environnement est organisé, plus organisé et structuré sera votre mode de vie. Comme notre existence devient de plus en plus complexe, nous devons être à même de faire face, et donc de réduire le stress, en trouvant chaque chose à sa place.

quotidiens auxquels nous devons faire face n'existaient tout simplement pas il y a à peine un ou deux siècles. L'énergie électrique est utile, mais lorsque nous sommes, sans le savoir, dans son champ magnétique, elle nous vole peut-être aussi notre bien-être. Cherchez ce que vous pouvez faire pour être certain de vivre dans un environnement aussi naturel que possible.

4 Une forte énergie personnelle peut permettre de dominer la plupart des environnements

Posséder une forte énergie personnelle peut transcender la plupart des environnements, si malaisés soient-ils. Outre le fait d'avoir un esprit indomptable et une volonté de fer face à l'adversité, vous pouvez également décider sciemment de prendre en charge votre

santé physique, en vous offrant une alimentation équilibrée et un sommeil de bonne qualité, ce dont bénéficiera inévitablement votre état mental. Demandez-vous ce que vous pouvez faire pour venir à bout des choses sur lesquelles vous pouvez agir, cela vous aidera à surmonter celles sur lesquelles vous ne pouvez rien.

5 Ne vous laissez pas embrouiller par différents systèmes

Vous obtiendrez toutes sortes de conseils différents émanant de personnes et de livres différents. Ils ont tous le même objectif et ne sont que des interprétations particulières, vous devrez donc choisir la source qui vous convient le mieux. En dernier recours, si vous n'êtes pas certain de ce qu'il faut faire, il vous faudra interroger votre maison. Cela peut vous sembler étrange – voire excentrique – mais une conversation engagée pendant un instant de tranquillité ou de méditation vous apportera toutes sortes d'enseignements surprenants et de vérités bien senties !

6 Créez de l'espace pour votre nouvelle vie

Vous n'avez pas besoin de vivre comme un minimaliste, mais vous devez cependant maintenir les choses en mouvement, sans quoi il n'y aurait pas assez d'espace dans votre maison ou votre vie pour attirer quoi que ce soit de nouveau. Si vous introduisez des miroirs dans un environnement trop encombré, ils doubleront vos problèmes. Demandez-vous perpétuellement si vous aimez encore tel ou tel objet, ou si vous l'utilisez ; si non, donnez-le, ou jetez-le.

7 Effectuez les changements lentement et soigneusement

Ne faites pas plusieurs choses à la fois, vérifiez bien ce qui fonctionne ou ne fonctionne pas. Restez à l'affût d'étranges coïncidences : par exemple, si l'installation d'une plante dans un endroit précis, avec la ferme intention d'améliorer l'harmonie familiale, est suivie le lendemain d'un coup de fil d'un parent brouillé. Continuez à apporter des modifications et à en observer les résultats, même s'ils ne sont pas toujours aussi évidents, ni aussi rapides.

8 Transformez votre maison en sanctuaire

Quoi qu'il en soit, votre maison doit pouvoir vous ressourcer, particulièrement si vous vous sentez usé par le stress de la vie

▶ Dans votre environnement l'eau est un puissant symbole de la richesse et de la chance qui surviennent dans votre vie. La présence de poissons active encore davantage son potentiel positif en ajoutant du mouvement à l'eau. Cet aquarium est un merveilleux point focal pour la contemplation lorsque l'on se détend dans le bain.

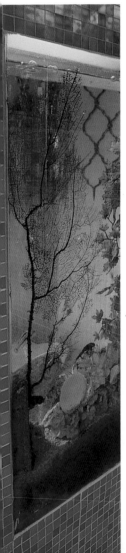

moderne. Essayez d'identifier les éléments de votre environnement qui amplifient votre stress et votre tension et introduisez le
maximum d'éléments susceptibles de vous rééquilibrer.
Concentrez-vous surtout sur votre chambre à coucher et faites-
en un abri vraiment calme et protecteur, capable de vous détendre,
et elle le fera.

9 Une bonne énergie à la maison vous soutiendra dans votre travail

Assurez-vous d'abord que votre cadre de vie vous soutient réellement. Protégez votre propre énergie par un bon régime ali-
mentaire de façon à ne pas être trop affecté par des forces
électromagnétiques et des milieux difficiles ; donnez à votre espace
de travail, qu'il soit à la maison ou ailleurs, le meilleur environnement imaginable. Il est vital que vous fassiez le maximum pour
rendre cette zone de travail aussi joyeuse, naturelle et exaltante
que possible.

10 Permettez à l'énergie de se déplacer librement

Si votre maison est aménagée de façon que l'énergie puisse pénétrer aisément par votre porte principale et que rien ne vient
obstruer sa circulation à travers la maison, vous vous rendrez
compte que votre vie s'épanouira. Le niveau auquel vous devrez
ajuster vos habitudes pour compenser des espaces mal conçus se
reflète dans le nombre de compromis que vous avez dû faire.
Concevez une maison qui, dans sa structure tout entière, parle
d'amour, de réussite, d'abondance et de chance, et votre vie lui
ressemblera.

BIBLIOGRAPHIE

LE RÉSEAU FENG SHUI

- *Le Feng Shui dans la maison*, Joanna Trevelyan (Solar)

- *Mettez du Qi dans votre maison*, Alain Fortier

- *Une maison pour mieux vivre – De l'art du feng shui à l'esprit organique*, Yannick David (Arista)

- *L'Essentiel du feng Shui*, Simon Brown (Hachette)

- *Le Guide illustré du feng Shui*, Lillian Too (Trédaniel)

- *Votre avenir sous bonne influence… feng shui*, Simon Brown (Hachette)

- *Santé et habitat selon les traditions chinoises du feng shui*, Gérard Edde (Albin Michel)

- *Feng shui, habitat et harmonie*, Gunther Sator (Vigot)

- *Le Feng Shui, l'outil pour mieux vivre*, Sophie Merle (Dervy)

- *Mettez du feng shui dans votre vie*, George Birdsall (Éditions de l'Homme)

- *L'Harmonie de la maison par le feng shui*, Karen Kingston (J'ai lu)

Pour toute information concernant les cours de feng shui, les consulta-tions concernant l'aménagement et la réorganisation des maisons et des entreprises avec des professionnels du feng shui, les conférenciers, la for-mation professionnelle, l'achat par correspondance des livres conseillés et d'autres ouvrages, des vidéos et des cassettes audio, contactez :

Feng Shui Network International (FSNI)
PO Box 2133
Londres WIA IRL
Grande-Bretagne

Tél : +44 (0) 7000 336474
Fax : +44 (0) 1423 712869
Email : Fengl@aol.com

Site internet : www.fengshuinet.com

On peut contacter Gina Lazenby par l'intermédiaire du bureau ci-dessus.

Autres sites :

www.researuproteus.net/therapies/fengshui/mettezch.htm
www.asiaflash.com/fenshui.htm

CRÉDITS PHOTOGRAPHIQUES

L'ÉDITEUR TIENT À REMERCIER LES PHOTOGRAPHES ET ORGANISATIONS SUIVANTS POUR LEUR AIMABLE AUTORISATION DE REPRO-
DUIRE LES PHOTOGRAPHIES PUBLIÉES DANS CET OUVRAGE

1 Bill Batten/Conran Octopus ; 4 Peter Aaron/Esto ; 6-7 Alexander van Berge/Elle Wonen ; 8-9 Marie-Pierre Morel/Christine Puech/MCM ; 11 Jonathan Pilkington/Country Homes and Interiors/Robert Harding Syndication ; 13 Christian Sarramon ; 15 haut Pat O'Hara/Getty Images ; 15 bas Ted Yarwood (Design : Sharon Mimran) ; 16 haut Robert Harding Picture Library ; 16 bas Paul Warchol ; 17 haut Robert Harding Picture Library ; 17 bas Fritz von der Schulenburg/The Interior Archive ; 18 haut Robert Harding Picture Library ; 18 bas Simon Upton/The Interior Archive (Artiste : Graham Carr) ; 19 haut The Stock Market ; 19 bas Karl Dietrich-Buhler/Elizabeth Whiting & Associates ; 20 haut Jim Ballard/Getty Images ; 20 bas Ianthe Ruthven (Hodgson House, New Hampshire) ; 21 haut Harold Sund/The Image Bank ; 21 bas Wayne Vincent (Lesley Saddington)/The Interior Archive ; 22 haut Robert Crandall/Planet Earth Pictures ; 22 bas Richard Felber ; 23 haut Jody Dole/The Image Bank ; 23 bas André Martin/MCM ; 24-25 Wulf

Brackrock ; 26 Bill Batten/Conran Octopus ; 27 Simon Brown/Conran Octopus ; 28 Bill Batten/Conran Octopus ; 29 Paul Ryan/International Interiors (Design : John Saladino) ; 30 Andreas von Einseidel/Country Homes & Interiors/Robert Harding Syndication ; 31 Bill Batten/Conran Octopus ; 32-33 Images Colour Library ; 34 gauche John Hall ; 34-35 Paul Ryan/International Interiors (Design : Kriistina Ratia) ; 36-37 Bild Der Frau/Camera Press ; 37 droite Paul Ryan/International Interiors (Design : James Gager) ; 38 Richard Felber ; 39 Tom Leighton/Country Homes & Interiors/Robert Harding Syndication ; 40 Bill Batten/Conran Octopus ; 41 Richard Felber ; 42 Paul Ryan/International Interiors (Design : Jack Lenor Larsen) ; 43 Pieter Estersohn/LachaPelle (Représentation) ; 44-45 Tim Ridley/The Image Bank ; 46 gauche Nadia Mackenzie ; 46-47 Bill Batten/Conran Octopus ; 48 Tim Beddow/The Interior Archive ; 49 Gilles de Chabaneix/Marie Kalt/MCM ; 50-51 Chris Meads ; 51 droite Simon

Upton/The Interior Archive ; 52 Marianne Majerus/Country Homes & Interiors/Robert Harding Syndication ; 53 Bill Batten/Conran Octopus ; 54-55 Paul Ryan/International Interiors (Design : J Balasz) ; 56-57 Joe Cornish ; 58 gauche Christopher Simon Sykes/The Interior Archive ; 58-59 Andreas von Einseidel/Elizabeth Whiting & Associates ; 60-61 Bill Batten/Conran Octopus ; 61 droite Bild Der Frau/Camera Press ; 62-63 Hans Wolf/The Image Bank ; 64 Ray Main ; 65 Schoner Wohnen/Camera Press ; 66 Joshua Greene ; 67 Simon Upton/World of Interiors (avec l'aimable autorisation de Keith Skeel) ; 68-69 Schoner Wohnen/Camera Press ; 69 droite Alexander Van Berge ; 70-71 Chuck Place/The Image Bank ; 72 Simon Brown/The Interior Archive ; 73 Ted Yarwood (Design : Sharon Mimran) ; 74 Bill Batten/Conran Octopus ; 75 Bill Batten/Conran Octopus ; 76 Simon Brown/The Interior Archive (Design : Clodagh Nolan) ; 77 Eric Morin ; 78 Tim Beddow/The Interior Archive (Architecte : Arthur Duff) ;

79 Michael Crockett/Elizabeth Whiting & Associates ; 80-81 Eric Meola/The Image Bank ; 82 Bill Batten/Conran Octopus ; 82-83 Fair Lady/Camera Press ; 84 Schoner Wonen/Camera Press ; 85 Living/Camera Press ; 86 Bild Der Frau/Camera Press ; 87 Schoner Wohnen/Camera Press ; 88-89 Images Colour Library ; 90 Deidi von Schwaen ; 91 Marie-Pierre Morel/Catherine Ardouin/MCM ; 92-93 Henry Wilson/The Interior Archive (Design : Lionel Copley)